SUKEN NOTEBOOK

チャート式
解法と演習　数学C

完 成 ノ ー ト

【複素数平面，式と曲線】

本書は，数研出版発行の参考書「チャート式 解法と演習　数学C」の
第3章「複素数平面」，　第4章「式と曲線」
の例題と PRACTICE の全問を掲載した，書き込み式ノートです。
　本書を仕上げていくことで，自然に実力を身につけることができます。

$$\boxed{\text{目 次}}$$

231201

１０．複素数平面

基本 例題 76 □ ▶ 解説動画

複素数平面上において，2 点 α，β が下の図のように与えられているとき，次の点を図示せよ。

(1) $\alpha + \beta$ (2) $\alpha - \beta$ (3) 2β

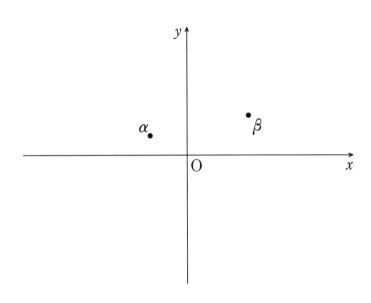

PRACTICE (基本) 76

複素数平面上において，2 点 α，β が下の図のように与えられているとき，次の点を図示せよ。

(1) $\alpha + \beta$ (2) $-\alpha + \beta$ (3) -2β

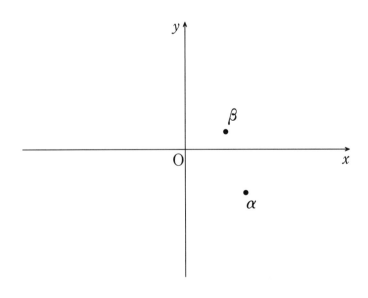

基本 例題 77

$\alpha=3+(2x-1)i$, $\beta=x+2-i$ とする。2点 A(α), B(β) と原点 O が一直線上にあるとき, 実数 x の値を求めよ。

PRACTICE (基本) **77** $\alpha=x+4i$, $\beta=6+6xi$ とする。2点 A(α), B(β) と原点 O が一直線上にあるとき, 実数 x の値を求めよ。

基本 例題 78

解説動画

(1) 複素数 z が，$3z + 2\overline{z} = 10 - 3i$ を満たすとき，共役複素数の性質を利用して，z を求めよ。

(2) a，b，c，d は実数とする。3次方程式 $ax^3 + bx^2 + cx + d = 0$ が虚数 α を解にもつとき，共役複素数 $\overline{\alpha}$ も解にもつことを示せ。

PRACTICE (基本) 78

(1) 複素数 z が，$z - 3\overline{z} = 2 + 20i$ を満たすとき，共役複素数の性質を利用して，z を求めよ。

(2) a, b, c は実数とする。5次方程式 $ax^5 + bx^2 + c = 0$ が虚数 α を解にもつとき，共役複素数 $\overline{\alpha}$ も解にもつことを示せ。

基本 例題 79

定数 α は複素数とする。

(1) 任意の複素数 z に対して，$z\overline{z} + \alpha\overline{z} + \overline{\alpha}z$ は実数であることを示せ。

(2) $\alpha\overline{z}$ が実数でない複素数 z に対して，$\alpha\overline{z} - \overline{\alpha}z$ は純虚数であることを示せ。

PRACTICE (基本) **79** (1) $z\overline{z}=1$ のとき，$z+\dfrac{1}{z}$ は実数であることを示せ。

(2) z^3 が実数でない複素数 z に対して，$z^3-(\overline{z})^3$ は純虚数であることを示せ。

基本 例題 80

解説動画

3点 A $(5+4i)$，B $(3-2i)$，C $(1+2i)$ について，次の点を表す複素数を求めよ。

(1) 2点 A，B から等距離にある虚軸上の点 P

(2) 3点 A，B，C から等距離にある点 Q

PRACTICE (基本) 80

3 点 A $(-2-2i)$, B $(5-3i)$, C $(2+6i)$ について，次の点を表す複素数を求めよ。

(1) 2 点 A，B から等距離にある虚軸上の点 P

(2) 3 点 A，B，C から等距離にある点 Q

基本 例題 81

解説動画

$|z|=1$ かつ $|z+i|=\sqrt{3}$ を満たす複素数 z について，次の値を求めよ。

(1) $z\overline{z}$

(2) $z-\overline{z}$

(3) z

PRACTICE (基本) **81** $|z|=5$ かつ $|z+5|=2\sqrt{5}$ を満たす複素数 z について，次の値を求めよ。

(1) $z\overline{z}$

(2) $z+\overline{z}$

(3) z

基本 例題 82

$\alpha,\ \beta$ は複素数とする。

(1) $|\alpha|=|\beta|=2$, $\alpha+\beta+2=0$ のとき, $\alpha\beta$, $\alpha^3+\beta^3$ の値を求めよ。

(2) $|\alpha|=|\beta|=|\alpha-\beta|=2$ のとき, $|\alpha+\beta|$ の値を求めよ。

PRACTICE (基本) 82 α, β は複素数とする。

(1) $|\alpha|=|\beta|=1$, $\alpha-\beta+1=0$ のとき, $\alpha\beta$, $\dfrac{\alpha}{\beta}+\dfrac{\beta}{\alpha}$ の値を求めよ。

(2) $|\alpha|=|\beta|=|\alpha-\beta|=1$ のとき, $|2\beta-\alpha|$ の値を求めよ。

重要 例題 83 □ ▶ 解説動画

絶対値が 1 で，$z^3 - z$ が実数であるような複素数 z を求めよ。

PRACTICE (重要) 83　$z+\dfrac{4}{z}$ が実数であり，かつ $|z-2|=2$ であるような複素数 z を求めよ。

１１．複素数の極形式，ド・モアブルの定理

基本 例題84

解説動画

次の複素数を極形式で表せ。ただし，偏角 θ の範囲は $0 \leqq \theta < 2\pi$ とする。

(1) $\cos\dfrac{5}{6}\pi - i\sin\dfrac{5}{6}\pi$

(2) $z = \cos\dfrac{\pi}{5} + i\sin\dfrac{\pi}{5}$ のとき $2\overline{z}$

PRACTICE (基本) **84**　次の複素数を極形式で表せ。ただし，偏角 θ の範囲は $0 \leqq \theta < 2\pi$ とする。

(1)　$2\left(\sin\dfrac{\pi}{3} + i\cos\dfrac{\pi}{3}\right)$

(2)　$z = \cos\dfrac{12}{7}\pi + i\sin\dfrac{12}{7}\pi$ のとき　$-3z$

基本 例題 85

$\alpha=1-i$, $\beta=\sqrt{3}+i$ とする。ただし，偏角は $0\leqq\theta<2\pi$ とする。

(1) $\alpha\beta$, $\dfrac{\alpha}{\beta}$ をそれぞれ極形式で表せ。

(2) $\arg\beta^4$, $\left|\dfrac{\alpha}{\beta^4}\right|$ をそれぞれ求めよ。

PRACTICE (基本) **85** $\alpha = -2 + 2i$, $\beta = -3 - 3\sqrt{3}\,i$ とする。ただし，偏角は $0 \leqq \theta < 2\pi$ とする。

(1) $\alpha\beta$, $\dfrac{\alpha}{\beta}$ をそれぞれ極形式で表せ。

(2) $\arg\alpha^3$, $\left|\dfrac{\alpha^3}{\beta}\right|$ をそれぞれ求めよ。

基 本 例題 86

□ ▶解説動画

$1+\sqrt{3}\,i$, $1+i$ を極形式で表すことにより，$\cos\dfrac{\pi}{12}$, $\sin\dfrac{\pi}{12}$ の値をそれぞれ求めよ。

PRACTICE (基本) **86** $1+i$, $\sqrt{3}+i$ を極形式で表すことにより，$\cos\dfrac{5}{12}\pi$, $\sin\dfrac{5}{12}\pi$ の値をそれぞれ求めよ。

基本 例題 87

$z=-3+i$ とする。

(1) 点 z を原点を中心として $\dfrac{\pi}{3}$ だけ回転した点を表す複素数 w_1 を求めよ。

(2) 点 z を原点を中心として $-\dfrac{\pi}{4}$ だけ回転し，原点からの距離を $\sqrt{2}$ 倍した点を表す複素数 w_2 を求めよ。

PRACTICE (基本) 87 $z=4-2i$ とする。

(1) 点 z を原点を中心として $-\dfrac{\pi}{2}$ だけ回転した点を表す複素数 w_1 を求めよ。

(2) 点 z を原点を中心として $\dfrac{\pi}{3}$ だけ回転し，原点からの距離を $\dfrac{1}{2}$ 倍した点を表す複素数 w_2 を求めよ。

基本 例題 88

$\alpha = 1 + 2i$, $\beta = -1 + 4i$ とする。点 β を，点 α を中心として $\dfrac{\pi}{3}$ だけ回転した点を表す複素数 γ を求めよ。

PRACTICE (基本) **88**　$\alpha = 2 + i$, $\beta = 4 + 5i$ とする。点 β を，点 α を中心として $\dfrac{\pi}{4}$ だけ回転した点を表す複素数 γ を求めよ。

基本 例題 89

原点を O とする。

(1) A $(5+2i)$ とする。△OAB が正三角形となるような点 B を表す複素数 w を求めよ。

(2) A $(2+3i)$ とする。△OAB が OA＝AB の直角二等辺三角形となるような点 B を表す複素数 β を求めよ。

PRACTICE (基本) **89**　原点を O とする。

(1)　A$(5-\sqrt{3}\,i)$ とする。△OAB が正三角形となるような点 B を表す複素数 w を求めよ。

(2)　A$(-1+2i)$ とする。△OAB が直角二等辺三角形となるような点 B を表す複素数 β を求めよ。

基本 例題 90

次の複素数の値を求めよ。

(1) $(1+\sqrt{3}\,i)^6$

(2) $(1-i)^{-4}$

(3) $\left(\dfrac{3+\sqrt{3}\,i}{2}\right)^8$

26

PRACTICE (基本) **90**　次の複素数の値を求めよ。

(1)　$(\sqrt{3}-i)^4$

(2)　$\left(\dfrac{2}{-1+i}\right)^{-6}$

(3)　$\left(\dfrac{-\sqrt{6}+\sqrt{2}\,i}{4}\right)^8$

基本 例題 91

複素数 $z = \dfrac{1+i}{\sqrt{3}+i}$ について，z^n が正の実数となるような最小の正の整数 n を求めよ。

PRACTICE (基本) 91 複素数 $z = \dfrac{-1+i}{1+\sqrt{3}\,i}$ について，z^n が実数となるような最小の正の整数 n を求めよ。

基本 例題 92

複素数 z が $z + \dfrac{1}{z} = \sqrt{2}$ を満たす。

(1) z を極形式で表せ。

(2) $z^{20} + \dfrac{1}{z^{20}}$ の値を求めよ。

PRACTICE (基本) **92** 複素数 z が $z+\dfrac{1}{z}=\sqrt{3}$ を満たすとき，$z^{10}+\dfrac{1}{z^{10}}$ の値を求めよ。

基本 例題 93

極形式を用いて，方程式 $z^3=1$ を解け。

PRACTICE (基本) **93**　極形式を用いて，次の方程式を解け。

(1)　$z^6 = 1$

(2)　$z^8 = 1$

基本 例題 94

方程式 $z^4 = -8 + 8\sqrt{3}\,i$ を解け。

PRACTICE (基本) **94**　次の方程式を解け。

(1)　$z^3 = 8i$

(2) $z^2 = 2(1+\sqrt{3}\,i)$

重要 **例題 95**

複素数 z を $z = \cos\dfrac{2}{7}\pi + i\sin\dfrac{2}{7}\pi$ とおく。

(1) z^7 の値を求めよ。

(2) $\dfrac{1}{1-z^k} + \dfrac{1}{1-z^{7-k}}$ の値を求めよ。ただし，k は $1 \leqq k \leqq 6$ の範囲の自然数である。

(3) $\displaystyle\sum_{k=1}^{6} \dfrac{1}{1-z^k}$ の値を求めよ。

PRACTICE (重要) **95** $\alpha = \cos\dfrac{2\pi}{5} + i\sin\dfrac{2\pi}{5}$ のとき，次の式の値を求めよ。

(1) α^5

(2) $\dfrac{1}{1-\alpha} + \dfrac{1}{1-\alpha^2} + \dfrac{1}{1-\alpha^3} + \dfrac{1}{1-\alpha^4}$

重要 **例題 96**

複素数 $\alpha\,(\alpha \neq 1)$ を 1 の 5 乗根とする。

(1) $\alpha^4 + \alpha^3 + \alpha^2 + \alpha + 1 = 0$ であることを示せ。

(2) (1) を利用して，$t = \alpha + \overline{\alpha}$ は $t^2 + t - 1 = 0$ を満たすことを示せ。

(3) (2) を利用して，$\cos\dfrac{2}{5}\pi$ の値を求めよ。

PRACTICE (重要) **96**　複素数 α を $\alpha = \cos\dfrac{2\pi}{7} + i\sin\dfrac{2\pi}{7}$ とおく。

(1)　$\alpha^6 + \alpha^5 + \alpha^4 + \alpha^3 + \alpha^2 + \alpha$ の値を求めよ。

(2)　$t = \alpha + \overline{\alpha}$ とおくとき，$t^3 + t^2 - 2t$ の値を求めよ。

重要 例題 97

次の複素数を極形式で表せ。ただし，偏角 θ は $0 \leqq \theta < 2\pi$ とする。

(1) $z = \cos\alpha - i\sin\alpha \quad (0 < \alpha < 2\pi)$

(2) $z = \sin\alpha + i\cos\alpha \quad \left(0 \leqq \alpha < \dfrac{\pi}{2}\right)$

PRACTICE (重要) 97　次の複素数を極形式で表せ。ただし，偏角 θ は $0 \leqq \theta < 2\pi$ とする。

(1) $z = -\cos\alpha + i\sin\alpha \quad (0 \leqq \alpha < \pi)$

(2) $z = \sin\alpha - i\cos\alpha \quad \left(0 \leqq \alpha < \dfrac{\pi}{2}\right)$

重要 例題 98

$z_1=3$ および，漸化式 $z_{n+1}=(1+i)z_n+i$ $(n \geqq 1)$ によって定まる複素数からなる数列 $\{z_n\}$ について，以下の問いに答えよ。

(1) z_n を求めよ。

(2) z_{21} を求めよ。

PRACTICE (重要) **98** 次の複素数の数列を考える。

$$\begin{cases} z_1 = 1 \\ z_{n+1} = \dfrac{1}{2}(1+i)z_n + \dfrac{1}{2} \quad (n = 1, 2, 3, \cdots\cdots) \end{cases}$$

(1) $z_{n+1} - \alpha = \dfrac{1}{2}(1+i)(z_n - \alpha)$ となる定数 α の値を求めよ。

(2) z_{17} を求めよ。

１２．複素数と図形

基 本 例題 99

3 点 A $(7-4i)$，B $(2+6i)$，C $(-6+i)$ について，次の点を表す複素数を求めよ。

(1) 線分 AB を $3:2$ に内分する点 P

(2) 線分BC を $1:2$ に外分する点 Q

(3) 平行四辺形 ABCD の頂点 D

(4) △ABC の重心 G

PRACTICE (基本) **99** 3 点 A $(-6i)$, B $(2-4i)$, C $(7+3i)$ について，次の点を表す複素数を求めよ。

(1) 線分 AB を 2:1 に内分する点 P

(2) 線分 BC を 3:2 に外分する点 Q

(3) 平行四辺形 ADBC の頂点 D

(4) △ABC の重心 G

基本 例題 100

次の方程式・不等式を満たす点 z 全体の集合は，どのような図形か。

(1) $|iz-1|=|z-1|$

(2) $(2z+1)(2\overline{z}+1)=4$

(3) $z+\overline{z}=2$

(4) $|z+2-i|\leqq1$

PRACTICE (基本) **100** 次の方程式・不等式を満たす点 z 全体の集合は，どのような図形か。

(1) $|2z + 4| = |2iz + 1|$

(2) $(3z + i)(3\overline{z} - i) = 9$

(3) $z - \overline{z} = 2i$

(4) $|z + 2i| < 3$

基本 例題 101

次の方程式を満たす点 z 全体の集合は，どのような図形か。

$$|z-2i|=2|z+i|$$

PRACTICE (基本) 101　次の方程式を満たす点 z 全体の集合は，どのような図形か。

$$|z-3i|=2|z+3|$$

基本 例題 102

点 z が次の図形上を動くとき，$w=(1+i)z+3-i$ で表される点 w は，どのような図形を描くか。

(1) 原点を中心とする半径 1 の円

(2) 2 点 1, i を結ぶ線分の垂直二等分線

PRACTICE (基本) **102** 点 z が次の図形上を動くとき，$w=(-\sqrt{3}+i)z+1+i$ で表される点 w は，どのような図形を描くか。

(1) 点 $-1+\sqrt{3}\,i$ を中心とする半径 $\dfrac{1}{2}$ の円

(2) 2点2, $1+\sqrt{3}\,i$ を結ぶ線分の垂直二等分線

基 本 例題 103

点 z が次の図形上を動くとき，$w=\dfrac{1}{z}$ で表される点 w は，どのような図形を描くか。

(1) 原点を中心とする半径 $\dfrac{1}{2}$ の円

(2) 点 1 を通り，実軸に垂直な直線

PRACTICE (基本) **103** 点 z が次の図形上を動くとき，$w = \dfrac{1}{z}$ で表される点 w はどのような図形を描くか。

(1) 原点を中心とする半径 3 の円

(2) 点 $\dfrac{i}{2}$ を通り，虚軸に垂直な直線

基本 例題 104

複素数 z が $|z-3-4i|=2$ を満たすとき，$|z|$ の最大値と，そのときの z の値を求めよ。

PRACTICE (基本) 104 複素数 z が $|z-i|=1$ を満たすとき，$|z+\sqrt{3}|$ の最大値および最小値と，そのときの z の値をそれぞれ求めよ。

基本 例題 105

$\alpha = -1$, $\beta = 2i$, $\gamma = a - i$ とし,複素数平面上で3点を A(α), B(β), C(γ) とする。ただし,a は実数の定数とする。

(1) $a = -\dfrac{2}{3}$ のとき,∠BAC の大きさを求めよ。

(2) 3点 A,B,C が一直線上にあるように a の値を定めよ。

(3) 2直線 AB,AC が垂直であるように a の値を定めよ。

PRACTICE (基本) 105

(1)　複素数平面上の 3 点 A $(-1+2i)$，B $(2+i)$，C $(1-2i)$ に対し，∠BAC の大きさを求めよ。

(2)　$\alpha=2+i$，$\beta=3+2i$，$\gamma=a+3i$ とし，複素数平面上で 3 点を A (α)，B (β)，C (γ) とする。ただし，a は実数の定数とする。

（ア）　3 点 A，B，C が一直線上にあるように a の値を定めよ。

（イ）　2 直線 AB，AC が垂直であるように a の値を定めよ。

基本 例題 106

複素数平面上の 3 点 A (α), B (β), C (γ) を頂点とする △ABC について, 等式
$\beta-\alpha=(1+\sqrt{3}\,i)(\gamma-\alpha)$ が成り立つとき, △ABC の 3 つの内角の大きさを求めよ。

PRACTICE (基本) 106 複素数平面上の 3 点 A (α), B (β), C (γ) を頂点とする △ABC について, 次の等式が成り立つとき, △ABC はどのような三角形か。

(1) $\beta(1-i)=\alpha-\gamma i$

(2)　$2(\alpha-\beta)=(1+\sqrt{3}\,i)(\gamma-\beta)$

(3)　$(\alpha-\beta)(3+\sqrt{3}\,i)=4(\gamma-\beta)$

基本 例題 107　

3 点 O (0)，A (α)，B (β) を頂点とする $\triangle$OAB について，等式 $\alpha^2 - \alpha\beta + \beta^2 = 0$ が成り立つとき，次の問いに答えよ。

(1)　$\dfrac{\beta}{\alpha}$ の値を求めよ。

(2)　$\triangle$OAB はどのような三角形か。

PRACTICE (基本) **107**　3点 O (0), A (α), B (β) を頂点とする $\triangle$OAB について, 次の等式が成り立つとき, $\triangle$OAB はどのような三角形か。

(1) $3\alpha^2 + \beta^2 = 0$

(2) $2\alpha^2 - 2\alpha\beta + \beta^2 = 0$

58

重 要 例題 108

α を複素数の定数とする。(1), (2) の直線上の点 P を表す複素数 z は,等式 $\overline{\alpha}z + \alpha\overline{z} - 2 = 0$ を満たす。α の値をそれぞれ求めよ。

(1) 2 点 A (-1),B $(1+2i)$ を通る直線上の点 P

(2) 中心が C $(2+3i)$,半径が $2\sqrt{2}$ の円周上の点 D (i) における接線上の点 P

PRACTICE (重要) **108** $\alpha = \dfrac{1}{2} + \dfrac{\sqrt{3}}{6} i$ とし,複素数 1,α に対応する複素数平面上の点をそれぞれ P,

Q とすると,直線 PQ は複素数 β を用いて,方程式 $\beta z + \overline{\beta}\,\overline{z} + 1 = 0$ で表される。この β を求めよ。

重要 例題 109

(1) 複素数平面上の点 z が単位円周上を動くとき，$w = \dfrac{z+1}{z-2}$ で表される点 w の描く図形を求めよ。

(2) $z \neq 1$ である複素数 z に対して，$w = \dfrac{z+1}{1-z}$ とする。点 z が複素数平面上の虚軸上を動くとき，次の問いに答えよ。

(ア) 点 w の描く図形を求めよ。

(イ) $|w+i+1|$ の最大値と最小値を求めよ。

PRACTICE (重要) **109**　-1 と異なる複素数 z に対し，複素数 w を $w = \dfrac{z}{z+1}$ で定める。

(1)　点 z が原点を中心とする半径 1 の円上を動くとき，点 w の描く図形を求めよ。

(2)　点 z が虚軸上を動くとき，点 w の描く図形を求めよ。

重要 例題 110 □ 解説動画

実数 a, b を係数とする x の 2 次方程式 $x^2 + ax + b = 0$ が虚数解 z をもつ。

(1) $b - a \leqq 1$ を満たすとき,点 z の存在範囲を複素数平面上に図示せよ。

(2) 点 z が (1) で求めた存在範囲を動くとき,$w = \dfrac{1}{z}$ で定まる点 w の存在範囲を複素数平面上に図示せよ。

PRACTICE (重要) **110**　複素数 z の実部を $\mathrm{Re}\,z$ で表す。このとき，次の領域を複素数平面上に図示せよ。

(1)　$|z|>1$ かつ $\mathrm{Re}\,z<\dfrac{1}{2}$ を満たす点 z の領域

(2)　$w=\dfrac{1}{z}$ とする。点 z が (1) で求めた領域を動くとき，点 w が動く領域

重|要 例題 111

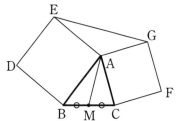

右の図のように，△ABC の 2 辺 AB，AC を 1 辺とする正方形
ABDE，ACFG をこの三角形の外側に作るとき，次の問いに答えよ。

(1) 複素数平面上で A (0)，B (β)，C (γ) とするとき，点 E，G
を表す複素数を求めよ。

(2) 辺 BC の中点を M とするとき，$2AM = EG$，$AM \perp EG$ であることを証明せよ。

PRACTICE (重要) **111**　線分 AB 上(ただし,両端を除く)に 1 点 O をとり,線分 AO,OB をそれぞれ 1 辺とする正方形 AOCD と正方形 OBEF を,線分 AB の同じ側に作る。このとき,複素数平面を利用して,AF⊥BC であることを証明せよ。

重要 **例題 112**

単位円上の異なる 3 点 A (α), B (β), C (γ) と, この円上にない点 H (z) について, 等式 $z = \alpha + \beta + \gamma$ が成り立つとき, H は $\triangle$ABC の垂心であることを証明せよ。

PRACTICE (重要) **112**　異なる 3 点 O(0)，A (α)，B (β) を頂点とする △OAB の内心を P(z) とする。
このとき，z は等式 $z = \dfrac{|\beta|\alpha + |\alpha|\beta}{|\alpha| + |\beta| + |\beta - \alpha|}$ を満たすことを示せ。

重要 例題 113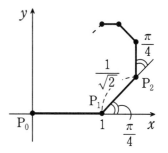

右の図のように，複素数平面の原点を P_0 とし，P_0 から実軸の正
の方向に 1 進んだ点を P_1 とする。

次に，P_1 を中心として $\dfrac{\pi}{4}$ 回転して向きを変え，$\dfrac{1}{\sqrt{2}}$ 進んだ点を

P_2 とする。以下同様に，P_n に到達した後，$\dfrac{\pi}{4}$ 回転してから前回

進んだ距離の $\dfrac{1}{\sqrt{2}}$ 倍進んで到達する点を P_{n+1} とする。

このとき，点 P_{10} が表す複素数を求めよ。

PRACTICE (重要) **113**　複素数平面上で原点 O から実軸上を 2 進んだ点を P_0 とする。次に，P_0 を中心として進んできた方向に対して $\dfrac{\pi}{3}$ 回転して向きを変え，1 進んだ点を P_1 とする。以下同様に，P_n に到達した後，進んできた方向に対して $\dfrac{\pi}{3}$ 回転してから前回進んだ距離の $\dfrac{1}{2}$ 倍進んで到達した点を P_{n+1} とする。点 P_8 が表す複素数を求めよ。

13. 2次曲線

基本 例題 114

解説動画

(1) 次の放物線の焦点，準線を求めよ。また，その概形をかけ。

(ア) $y^2 = 2x$

(イ) $y^2 = -12x$

(ウ) $y = -\dfrac{1}{8}x^2$

(2) 次の条件を満たす放物線の方程式を求めよ。

(ア) 焦点が点 $\left(\dfrac{1}{6},\ 0\right)$, 準線が直線 $x=-\dfrac{1}{6}$

(イ) 焦点が点 $(0,\ 4)$, 準線が直線 $y=-4$

PRACTICE (基本) **114** (1) 放物線 $y^2=7x$ の焦点, 準線を求めよ。また, その概形をかけ。

(2) 焦点が点 $(0,\ -1)$, 準線が直線 $y=1$ の放物線の方程式を求めよ。

基 本 例題 115

点 A $(2,\ 0)$ を中心とする半径 1 の円と直線 $x=-1$ の両方に接し，点 A を内部に含まない円の中心の軌跡を求めよ。

PRACTICE (基本) 115 円 $(x-3)^2+y^2=1$ に外接し，直線 $x=-2$ にも接するような円の中心の軌跡を求めよ。

基本 例題 116

次の楕円の長軸・短軸の長さ，焦点を求めよ。また，その概形をかけ。

(1)　$\dfrac{x^2}{18}+\dfrac{y^2}{9}=1$

(2)　$25x^2+9y^2=225$

PRACTICE (基本) **116**　次の楕円の長軸・短軸の長さ，焦点を求めよ。また，その概形をかけ。

(1)　$\dfrac{x^2}{4}+\dfrac{y^2}{8}=1$

(2)　$3x^2+5y^2=30$

基本 例題 117

2 点 $(2,0)$，$(-2,0)$ を焦点とし，焦点からの距離の和が $2\sqrt{5}$ である楕円の方程式を求めよ。

PRACTICE (基本) **117**　2 点 $(2\sqrt{2},0)$，$(-2\sqrt{2},0)$ を焦点とし，焦点からの距離の和が 6 である楕円の方程式を求めよ。

基本 例題 118

円 $x^2 + y^2 = 25$ を次のように縮小または拡大すると，どんな曲線になるか。

(1) x 軸をもとにして y 軸方向に $\dfrac{2}{5}$ 倍

(2) y 軸をもとにして x 軸方向に 2 倍

PRACTICE (基本) **118** 円 $x^2 + y^2 = 4$ を y 軸をもとにして x 軸方向に $\dfrac{5}{2}$ 倍に拡大した曲線の方程式を求めよ。

基本 例題 119　解説動画

長さが 8 の線分 AB の端点 A は x 軸上を，端点 B は y 軸上を動くとき，線分 AB を $3:5$ に内分する点 P の軌跡を求めよ。

PRACTICE (基本) 119　長さが 3 の線分 AB の端点 A は x 軸上を，端点 B は y 軸上を動くとき，線分 AB を $1:2$ に外分する点 P の軌跡を求めよ。

基本 例題 120

次の双曲線の頂点と焦点，および漸近線を求めよ。また，その概形をかけ。

(1) $\dfrac{x^2}{25} - \dfrac{y^2}{9} = 1$

(2) $4x^2 - 25y^2 = -100$

PRACTICE (基本) **120** 次の双曲線の頂点と焦点，および漸近線を求めよ。また，その概形をかけ。

(1) $\dfrac{x^2}{4} - \dfrac{y^2}{4} = 1$

(2) $25x^2 - 9y^2 = -225$

基本 例題 121

(1) 2点 $(6,\ 0)$, $(-6,\ 0)$ を焦点とし，焦点からの距離の差が 10 である双曲線の方程式を求めよ。

(2) 2直線 $y = 2x$, $y = -2x$ を漸近線にもち，2点 $(0,\ 5)$, $(0,\ -5)$ を焦点とする双曲線の方程式を求めよ。

PRACTICE (基本) **121**

(1) 2点 $(0, 5)$, $(0, -5)$ を焦点とし，焦点からの距離の差が 8 である双曲線の方程式を求めよ。

(2) 2直線 $y = \dfrac{\sqrt{7}}{3}x$, $y = -\dfrac{\sqrt{7}}{3}x$ を漸近線にもち，2点 $(0, 4)$, $(0, -4)$ を焦点とする双曲線の方程式を求めよ。

基本 例題 122

(1)　楕円 $4x^2+5y^2=20$ を x 軸方向に -3，y 軸方向に -1 だけ平行移動した楕円の方程式を求めよ。また，焦点の座標を求めよ。

(2)　曲線 $9x^2-4y^2-54x-24y+9=0$ の概形をかけ。

PRACTICE (基本) 122　(1)　楕円 $12x^2+3y^2=36$ を x 軸方向に 1，y 軸方向に -2 だけ平行移動した楕円の方程式を求めよ。また，焦点の座標を求めよ。

(2)　次の曲線の焦点の座標を求め，概形をかけ。

　(ア)　$25x^2 - 4y^2 + 100x - 24y - 36 = 0$

　(イ)　$y^2 - 4x - 2y - 7 = 0$

　(ウ)　$4x^2 + 9y^2 - 8x + 36y + 4 = 0$

基本 例題 123

楕円 $C : \dfrac{x^2}{3} + y^2 = 1$ 上の $x \geqq 0$ の範囲にある点を P とする。点 P と定点 A $(0,\ -1)$ の距離を最大にする P の座標と，そのときの距離を求めよ。

PRACTICE (基本) **123** 双曲線 $x^2 - \dfrac{y^2}{2} = 1$ 上の点 P と点 $(0,\ 3)$ の距離を最小にする P の座標と，そのときの距離を求めよ。

重|要| 例題 124

(1) 点 $P(X, Y)$ を，原点を中心として角 θ だけ回転した点を $Q(x, y)$ とするとき，X, Y を x, y, θ で表せ。

(2) 曲線 $5x^2 + 2\sqrt{3}\, xy + 7y^2 = 16$ を，原点を中心として $\dfrac{\pi}{6}$ だけ回転移動した曲線の方程式を求めよ。

PRACTICE (重要) **124**　曲線 $x^2-2\sqrt{3}\,xy+3y^2+6\sqrt{3}\,x-10y+12=0$ を，原点を中心として $-\dfrac{\pi}{6}$ だけ回転した曲線の方程式を求め，それを図示せよ。

重要 **例題 125**

複素数 $z = x + yi$ (x, y は実数, i は虚数単位) が次の条件を満たすとき, x, y の満たす方程式を求めよ。また, その方程式が表す図形の概形を xy 平面上に図示せよ。

(1) $|z+3| + |z-3| = 12$

(2) $|2z| = |z + \overline{z} + 4|$

PRACTICE (重要) **125**　複素数 $z = x + yi$ $(x, y$ は実数，i は虚数単位) が次の条件を満たすとき，x, y の満たす方程式を求めよ。また，その方程式が表す図形の概形を xy 平面上に図示せよ。

(1)　$|z - 4i| + |z + 4i| = 10$

(2)　$(z + \overline{z})^2 = 2(1 + |z|^2)$

14. 2次曲線と直線

基 本 例題 126

次の 2 次曲線と直線は共有点をもつか。共有点をもつ場合には, その点の座標を求めよ。

(1) $x^2 - \dfrac{y^2}{4} = 1$, $x + 2y = 1$

(2) $\dfrac{x^2}{2} + \dfrac{y^2}{3} = 1$, $2x - y = 4$

PRACTICE (基本) **126**　次の 2 次曲線と直線は共有点をもつか。共有点をもつ場合には，交点・接点の別とその点の座標を求めよ。

(1)　$9x^2 + 4y^2 = 36$,　$x - y = 3$

(2)　$y^2 = -4x$,　$y = 2x - 3$

(3)　$x^2 - 4y^2 = -1$,　$x + 2y = 3$

(4)　$3x^2 + y^2 = 12$,　$x - y = 4$

基 本 例題 127

楕円 $\dfrac{x^2}{9}+\dfrac{y^2}{4}=1$ と直線 $y=mx+3$ の共有点の個数は，定数 m の値によってどのように変わるか。

PRACTICE (基本) **127**　曲線 $3x^2+12ax+4y^2=0$ と，直線 $x+2y=6$ の共有点の個数を調べよ。

基本 例題 128

直線 $y=3x-5$ が，双曲線 $4x^2-y^2=4$ によって切り取られる線分の中点の座標，および長さを求めよ。

PRACTICE (基本) 128 次の 2 次曲線と直線が交わってできる弦の中点の座標と長さを求めよ。

(1) $y^2=8x$, $x-y=3$

(2) $x^2+4y^2=4$, $x+3y=1$

(3) $x^2-2y^2=1$, $2x-y=3$

基本 例題 129

楕円 $x^2+4y^2=4$ と直線 $y=x+k$ が異なる 2 点 P, Q で交わるとする。

(1) 定数 k のとりうる値の範囲を求めよ。

(2) 線分 PQ の中点 R の軌跡を求めよ。

PRACTICE (基本) **129**　双曲線 $x^2-3y^2=3$ と直線 $y=x+k$ がある。

(1)　双曲線と直線が異なる 2 点で交わるような，定数 k の値の範囲を求めよ。

(2)　双曲線が直線から切り取る線分の中点の軌跡を求めよ。

基本 例題 130

解説動画

点 A $(0,\ 5)$ から楕円 $x^2+4y^2=20$ に引いた接線の方程式を求めよ。

PRACTICE (基本) **130** 点 A $(1,\ 4)$ から双曲線 $4x^2-y^2=4$ に引いた接線の方程式を求めよ。また，その接点の座標を求めよ。

基 本 例題 131

放物線 $y^2 = 4px$ $(p>0)$ 上の点 $P(x_1,\ y_1)$ における接線と x 軸との交点を T，放物線の焦点を F とすると，$\angle PTF = \angle TPF$ であることを証明せよ。ただし，$x_1 > 0$，$y_1 > 0$ とする。

PRACTICE (基本) **131** 双曲線 $\dfrac{x^2}{16} - \dfrac{y^2}{9} = 1$ 上の点 $P(x_1, y_1)$ における接線は，点 P と 2 つの焦点 F，F' とを結んでできる $\angle FPF'$ を 2 等分することを証明せよ。ただし，$x_1 > 0$，$y_1 > 0$ とする。

102

基本 例題 132

次の条件を満たす点 P の軌跡を求めよ。

(1) 点 F(1, 0) と直線 $x=4$ からの距離の比が $1:2$ であるような点 P

(2) 点 F(1, 0) と直線 $x=4$ からの距離の比が $2:1$ であるような点 P

PRACTICE (基本) **132**　次の条件を満たす点 P の軌跡を求めよ。

(1)　点 F$(9,\ 0)$ と直線 $x=4$ からの距離の比が $3:2$ であるような点 P

(2)　点 F$(6,\ 0)$ と直線 $x=2$ からの距離が等しい点 P

重　要 例題 133

放物線 $y=x^2+k$ が楕円 $x^2+4y^2=4$ と異なる 4 点で交わるための定数 k の値の範囲を求めよ。

PRACTICE (重要) **133** 放物線 $y=x^2+k$ が双曲線 $x^2-4y^2=4$ と異なる 4 点で交わるための定数 k の値の範囲を求めよ。

重|要| 例題 134

楕円 $C: \dfrac{x^2}{4} + y^2 = 1$ と，直線 $\ell : x - 2\sqrt{3}\,y + 8 = 0$ について

(1) C 上の点 $\mathrm{P}(a, b)$ における接線が ℓ に平行であるための $a,\ b$ が満たすべき条件を求めよ。

(2) ℓ に最も近い C 上の点を Q とするとき，Q の座標および Q から ℓ までの距離を求めよ。

PRACTICE (重要) **134** 楕円 $\dfrac{x^2}{3} + y^2 = 1$ …… ① と，直線 $x + \sqrt{3}\,y = 3\sqrt{3}$ …… ② について

(1) 直線 ② に平行な，楕円 ① の接線の方程式を求めよ。

(2) 楕円 ① 上の点 P と直線 ② の距離の最大値 M と最小値 m を求めよ。

重 要 例題 135

楕円 $\dfrac{x^2}{17} + \dfrac{y^2}{8} = 1$ の外部の点 $\mathrm{P}(a, b)$ から，この楕円に引いた 2 本の接線が直交するような点 P の軌跡を求めよ。

PRACTICE (重要) **135**　$a>0$, $b>0$ とする。楕円 $\dfrac{x^2}{a^2}+\dfrac{y^2}{b^2}=1$ の外部の点 P から，この楕円に引いた 2 本の接線が直交するとき，次の設問に答えよ。

(1)　2 つの接線が x 軸または y 軸に平行になる点 P の座標を求めよ。

(2)　点 P の軌跡を求めよ。

15．媒介変数表示

基本 例題 136

θ，t は媒介変数とする。次の式で表される図形はどのような曲線を描くか。

(1) $\begin{cases} x=\cos\theta \\ y=\sin^2\theta \end{cases}$ $(0\leqq\theta\leqq\pi)$

(2) $x=t^2+\dfrac{1}{t^2}$，$y=t^2-\dfrac{1}{t^2}$ $(t\neq0)$

(3) $x=\sqrt{t}$，$y=2\sqrt{1-t}$

PRACTICE (基本) **136** θ, t は媒介変数とする。次の式で表される図形はどのような曲線を描くか。

(1) $\begin{cases} x = \sin\theta + \cos\theta \\ y = \sin\theta\cos\theta \end{cases}$ $(0 \leqq \theta \leqq \pi)$

(2) $x = \dfrac{1}{2}(3^t + 3^{-t})$, $y = \dfrac{1}{2}(3^t - 3^{-t})$

基本 例題 137

解説動画

θ は媒介変数とする。次の式で表される図形はどのような曲線を描くか。

(1)　$x = 3\cos\theta - 4$, $y = \sin\theta + 2$

(2)　$x = \dfrac{2}{\cos\theta} + 1$, $y = 3\tan\theta - 4$

PRACTICE (基本) 137　θ は媒介変数とする。次の式で表される図形はどのような曲線を描くか。

(1)　$x = 2\cos\theta + 3$, $y = 3\sin\theta - 2$

(2)　$x = 2\tan\theta - 1$, $y = \dfrac{\sqrt{2}}{\cos\theta} + 2$

基本 例題 138

t は媒介変数とする。次の式で表される図形はどのような曲線を描くか。

(1)　$x = \dfrac{1}{1+t^2}$, $y = \dfrac{t}{1+t^2}$

(2) $x = \dfrac{1 - t^2}{1 + t^2}$, $y = \dfrac{4t}{1 + t^2}$

PRACTICE (基本) **138** t は媒介変数とする。$x = \dfrac{1 + t^2}{1 - t^2}$, $y = \dfrac{4t}{1 - t^2}$ で表される図形はどのような曲線を描くか。

基本 例題 139

定円 $x^2+y^2=r^2$ の周上を点 $P(x, y)$ が動くとき，座標が $(x^2-y^2, 2xy)$ である点 Q はどのような
曲線上を動くか。

PRACTICE (基本) **139** 円 $x^2+y^2=4$ の周上を点 $P(x, y)$ が動くとき，座標が
$\left(\dfrac{x^2}{2}-y^2+3, \dfrac{5}{2}xy-1\right)$ である点 Q はどのような曲線上を動くか。

基本 例題 140

x, y が $2x^2+3y^2=1$ を満たす実数のとき，x^2-y^2+xy の最大値を求めよ。

PRACTICE (基本) **140**　x, y が $\dfrac{x^2}{24} + \dfrac{y^2}{4} = 1$ を満たす実数のとき，$x^2 + 6\sqrt{2}\,xy - 6y^2$ の最小値とそのときの x, y の値を求めよ。

重要 例題 141

座標平面上に，原点 O を中心とする半径 2 の固定された円 C と，それに外側から接しながら回転する半径 1 の円 C' がある。円 C' の中心が $(3, \ 0)$ にあるときの C' 側の接点に印 P をつけ，円 C' を円 C に接しながら滑らずに回転させる。円 C' の中心 C' が O の周りを θ だけ回転したときの点 P の座標を $(x, \ y)$ とする。このとき，点 P の描く曲線を，媒介変数 θ で表せ。

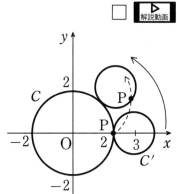

PRACTICE (重要) **141** 座標平面上の円 $C: x^2+y^2=9$ の内側を半径 1 の円 D が滑らずに転がる。時刻 t において D は点 $(3\cos t,\ 3\sin t)$ で C に接しているとする。時刻 $t=0$ において点 $(3,\ 0)$ にあった D 上の点 P の時刻 t における座標 $(x(t),\ y(t))$ を求めよ。ただし，$0\leqq t\leqq\dfrac{2}{3}\pi$ とする。

120

１６．極座標と極方程式

基本 例題 142

(1) 次の極座標の点 A，B の直交座標を求めよ。

$$A\left(6, \ \frac{\pi}{4}\right), \ B\left(2, \ -\frac{5}{6}\pi\right)$$

(2) 次の直交座標の点 C，D の極座標 $(r, \ \theta)$ $[0 \leqq \theta < 2\pi]$ を求めよ。

$$C(\sqrt{3}, \ -3), \ D(-2, \ 0)$$

PRACTICE (基本) 142 (1) 次の極座標の点 A，B の直交座標を求めよ。

$$A\left(4, \ \frac{5}{4}\pi\right), \ B\left(3, \ -\frac{\pi}{2}\right)$$

(2) 次の直交座標の点 C, D の極座標 (r, θ) $[0 \leqq \theta < 2\pi]$ を求めよ。

$$C\left(\frac{\sqrt{2}}{2}, -\frac{\sqrt{2}}{2}\right), \ D(-2, -2\sqrt{3})$$

基本 例題 143

極が O の極座標に関して，2 点 A$\left(2, \dfrac{\pi}{6}\right)$, B$\left(4, \dfrac{5}{6}\pi\right)$ がある。

(1) 線分 AB の長さを求めよ。

(2) △OABの面積を求めよ。

PRACTICE (基本) **143** O を極とし，極座標に関して 2 点 $P\left(3, \dfrac{5}{12}\pi\right)$, $Q\left(2, \dfrac{3}{4}\pi\right)$ がある。

(1) 2 点 P，Q 間の距離を求めよ。

(2) △OPQ の面積を求めよ。

基本 例題 144

次の直交座標に関する方程式を，極方程式で表せ。

(1) $x-\sqrt{3}\,y-2=0$

(2) $x^2+y^2=-2x$

(3) $y^2=4x$

PRACTICE (基本) **144**　次の直交座標に関する方程式を，極方程式で表せ。

(1)　$x + y + 2 = 0$

(2)　$x^2 + y^2 - 4y = 0$

(3)　$x^2 - y^2 = -4$

基本 例題 145 □ ▷ 解説動画

O を極とする次の極方程式の表す曲線を，直交座標に関する方程式で表し，xy 平面上に図示せよ。

(1) $\dfrac{1}{r} = \cos\theta + 2\sin\theta$

(2) $r^2 \sin 2\theta = -2$

(3) $r^2(3\sin^2\theta + 1) = 4$

PRACTICE (基本) **145**　次の極方程式を，直交座標に関する方程式で表し，xy 平面上に図示せよ。

(1)　$r^2(7\cos^2\theta + 9) = 144$

(2)　$r = 2\cos\left(\theta - \dfrac{\pi}{3}\right)$

基本 例題 146

O を極とする極座標において，次の円，直線の極方程式を求めよ。

(1) 中心が $C\left(2, \dfrac{\pi}{6}\right)$，極を通る円

(2) 中心が $C\left(4, \dfrac{\pi}{4}\right)$，半径 3 の円

(3) 点 $A\left(2, \dfrac{\pi}{3}\right)$ を通り，OA に垂直な直線

PRACTICE (基本) **146**　O を極とする極座標において，次の円，直線の極方程式を求めよ。

(1)　極 O と点 A $\left(4, \dfrac{\pi}{3}\right)$ を直径の両端とする円

(2)　中心が C $\left(6, \dfrac{\pi}{4}\right)$，半径 4 の円

(3)　点 A $\left(\sqrt{3}, \dfrac{\pi}{6}\right)$ を通り，OA に垂直な直線

基本 例題 147

(1) 極座標が $(3,\ 0)$ である点 A を通り，始線に垂直な直線を ℓ とする。極 O を焦点，ℓ を準線とする放物線の極方程式を求めよ。

(2) 極方程式 $r=\dfrac{1}{2+\sqrt{3}\cos\theta}$ の表す曲線を直交座標に関する方程式で表し，それを図示せよ。

PRACTICE (基本) 147　極方程式 $r=\dfrac{\sqrt{6}}{2+\sqrt{6}\cos\theta}$ の表す曲線を，直交座標に関する方程式で表し，その概形を図示せよ。

基本 例題 148

直線 $r\cos\left(\theta - \dfrac{2}{3}\pi\right) = \sqrt{3}$ 上の動点 P と極 O を結ぶ線分 OP を 1 辺とする正三角形 OPQ を作る。

Q の軌跡の極方程式を求めよ。

PRACTICE (基本) **148** 極座標が $\left(1, \dfrac{\pi}{2}\right)$ である点を通り，始線 OX に平行な直線 ℓ 上に点 P をとり，点 Q を $\triangle$OPQ が正三角形となるように定める。ただし，$\triangle$OPQ の頂点 O，P，Q はこの順で時計回りに並んでいるものとする。

(1) 点 P が直線 ℓ 上を動くとき，点 Q の軌跡を極方程式で表せ。

(2) (1) で求めた極方程式を直交座標についての方程式で表せ。

重要 例題 149

曲線 $(x^2+y^2)^2 = x^2 - y^2$ について，次の問いに答えよ。

(1)　与えられた曲線が x 軸，y 軸，原点に関して対称であることを示せ。

(2)　与えられた曲線の極方程式を求め，概形をかけ。

PRACTICE (重要) **149**　$a>0$ とする。極方程式 $r=a(1+\cos\theta)$ $(0\leqq\theta<2\pi)$ で表される曲線 K（心臓形，カージオイド）について，次の問いに答えよ。

(1)　曲線 K は直線 $\theta=0$ に関して対称であることを示せ。

(2)　曲線 $C:r=a\cos\theta$ はどんな曲線か。

(3)　$0\leqq\theta_1\leqq\pi$ である任意の θ_1 に対し，直線 $\theta=\theta_1$ と曲線 C および曲線 K との交点を考えることにより，曲線 K の概形をかけ。

134

重要 例題 150

焦点 F を極とする放物線 C の極方程式を $r=\dfrac{2p}{1-\cos\theta}$ $(p>0)$ とする。これを用いて，C の 2 つの

弦 PQ，RS がともに F を通り互いに直交するとき，$\dfrac{1}{PQ}+\dfrac{1}{RS}$ の値は一定であることを証明せよ。

PRACTICE (重要) 150　O を中心とする楕円の 1 つの焦点を F とする。この楕円上の 4 点を P，Q，R，S とするとき，次のことを証明せよ。

(1)　∠POQ＝$\dfrac{\pi}{2}$ のとき $\dfrac{1}{\mathrm{OP}^2}＋\dfrac{1}{\mathrm{OQ}^2}$ は一定

(2) 焦点 F を極とする楕円の極方程式を $r(1+e\cos\theta)=l$ $(0<e<1,\ l>0)$ とする。弦 PQ，RS が，焦点 F を通り直交しているとき $\dfrac{1}{\mathrm{PF\cdot QF}}+\dfrac{1}{\mathrm{RF\cdot SF}}$ は一定